CÉDRIC

ON SE CALME !

Dessin : Laudec   **Scénario : Cauvin**

Couleurs : Leonardo

DUPUIS

www.cedric.kidcomics.com

Dépôt légal : novembre 2004 — D.2004/0089/205
ISBN 2-8001-3516-6 — ISSN 0775-6658
© Dupuis, 2004.
Imprimé en Belgique.
www.dupuis.com

Fichez-moi la paix !

AUJOURD'HUI, ON CÉLÈBRE LA JOURNÉE INTERNATIONALE EN FAVEUR DE LA PAIX ET, COMME CHAQUE ANNÉE, À CETTE OCCASION, IL Y AURA, ÇÀ ET LÀ, DE NOMBREUSES MANIFESTATIONS DANS LE MONDE.

CETTE ANNÉE, MONSIEUR OLIVIER ET MOI-MÊME, AVONS DÉCIDÉ D'Y APPORTER NOTRE MODESTE CONTRIBUTION...

...EN ORGANISANT AVEC VOUS UN PETIT DÉFILÉ DANS LES RUES DE LA VILLE.

@©©??!!HHHHH NN NO OOONN NNN !!!

SI ! IL EST TEMPS DE VOUS FAIRE COMPRENDRE, AINSI QU'AUX GENS QUI NOUS ENTOURENT, QUE L'APPRENTISSAGE DE LA PAIX COMMENCE ICI, CHEZ NOUS, À L'ÉCOLE, DANS LA COUR DE RÉCRÉATION...

...MAIS AUSSI EN VILLE... LE TEMPS EST VENU DE METTRE FIN, ENTRE NOUS, AUX PETITES CHICANERIES, CAR LES PETITES CHICANERIES TOURNENT VITE EN DISPUTES...

BLIP BLIP BLIP

263/1

...LES DISPUTES ENGENDRENT LA VIOLENCE, ET LA VIOLENCE MÈNE IMMANQUABLEMENT À LA GUERRE.

SI TU N'ES PAS CONTENT FALLAIT LE FAIRE TOI-MÊME, EH, ABLETTE!

263/3

EH BIEN D'ACCORD, COMPORTEZ-VOUS EN ADULTES ET DÉCIDEZ QUI VA LIRE LE TEXTE! VOUS AVIEZ DÉCIDÉ QUE C'ÉTAIT MOI! EH BIEN, ELLE A CHANGÉ D'AVIS!

C'EST PAS JUSTE! SI! C'EST JUSTE! JE VAIS LE LIRE, MOI! NAN! MOI! AVEC TON APPAREIL DENTAIRE? T'Y ARRIVERAS JAMAIS, EH PATATE!

C'EST PAS BIENTÔT FINI? ON ÉCOUTE MADEMOISELLE NELLY ET ON SE TAIT. JE NE VEUX MÊME PLUS ENTENDRE VOLER UNE MOUCHE, COMPRIS?

CALMEZ-VOUS, MONSIEUR OLIVIER JE VOUS ASSURE QUE J'AI LA SITUATION EN MAIN.

PAIX AUX HOMMES DE BONNE VOLONTÉ

IDEM POUR LES FEMMES

ET POUR LES FILLES, QUI EST-CE QUI VA LE LIRE, MADEMOISELLE?

MOI! MOI! NON MOI!

CHEN, J'AI CHOISI CHEN...

CHEN? POURQUOI CHEN?

C'EST VRAI ÇA, POURQUOI ELLE?

CE N'EST PAS LE FAIT QU'ELLE SOIT ÉTRANGÈRE, MAIS C'EST SON ACCENT QUI ME DÉRANGE.

JE POURRAIS BIEN LE LIRE AUSSI, MOI. J'AI UNE TRÈS BONNE ÉLOCUTION. C'EST MA MAMAN QUI L'A DIT!

AVANT TOUT!

ET POURQUOI PAS MA SOEUR? ELLE PARLE BIEN AUSSI, MA SOEUR.

PAIX AVANT TOUT!

C'EST VRAI...

... SEULEMENT

QUOI, SEULEMENT?

... ELLE POSTILLONNE!

LA PAIX AVANT T

263/4

263/5

CAUVIN · Laudec '04

7

Chaud ! Chaud ! Chaud !

PAPA, JE VOUDRAIS QUE TU SORTES UN INSTANT DE LÀ.

IL N'EN EST PAS QUESTION. POUR LUTTER CONTRE LA CANICULE, RIEN DE TEL QU'UN BON BAIN D'EAU FRAÎCHE.

D'ACCORD AVEC TOI, MAIS PAS À LONGUEUR DE JOURNÉE.

OUVRE LE JOURNAL, TU VERRAS. IL Y A UN TAS DE PERSONNES ÂGÉES QUI N'ONT PAS SUPPORTÉ CETTE CHALEUR ET QUI EN SONT MORTES.

TU NE VOUDRAIS TOUT DE MÊME PAS QUE ÇA ARRIVE À TON VIEUX PAPA ?

TOUT CE QUE JE TE DEMANDE, C'EST D'ALLER JETER UN COUP D'ŒIL DANS LE JARDIN.

DANS LE JARDIN ? POURQUOI ?

ROBERT T'A FAIT UNE SURPRISE.

DIS PLUTÔT QU'IL A TROUVÉ UN MOYEN POUR SE DÉBARRASSER DE MOI.

QU'EST-CE QUE TU RACONTES ?

MAIS ENFIN, MARIE-ROSE, RÉFLÉCHIS, JE SORS, PAF! IL REFERME LA PORTE DERRIÈRE MOI ET, EN MOINS DE TEMPS QU'IL N'EN FAUT POUR LE DIRE, JE MEURS CARBONISÉ ET JE SUIS RÉDUIT EN UN PETIT TAS DE CENDRES.

COLUMBO, NAVARRO, JULIE LESCAUT ET LE COMMISSAIRE MOULIN RÉUNIS N'ARRIVERAIENT PAS À CONFONDRE L'ASSASSIN. LE CRIME PARFAIT!

VOILÀ CE QUI ARRIVE QUAND ON REGARDE TROP LA T.V.

OH, J'OUBLIAIS. CÉDRIC EST AVEC ROBERT. IL T'ATTEND AUSSI DANS LE JARDIN.

AH, SI LE GAMIN EST TÉMOIN, C'EST AUTRE CHOSE.

SLACH SLACH SLACH SLACH

259/1

QU.... QU'EST-CE QUE C'EST ?

UN BASSIN GONFLABLE, IL L'A ACHETÉ RIEN QUE POUR TOI.

IL....IL A FAIT ÇA ?

OUI, IL A FAIT ÇA ! AINSI, VOUS POURREZ RESTER DANS L'EAU LE TEMPS QU'IL VOUS PLAIRA, MAIS AU MOINS, VOUS PRENDREZ L'AIR.

CE N'EST PAS SON HABITUDE. IL DOIT SÛREMENT AVOIR UNE IDÉE DERRIÈRE LA TÊTE.

OH, MAIS IL EN A UNE....

....LIBÉRER LA SALLE DE BAINS POUR QUE NOUS PUISSIONS, NOUS AUSSI, Y ALLER POUR PRENDRE UNE DOUCHE OU UN BAIN DE TEMPS EN TEMPS.

M'OUAIS. ÇA SE DÉFEND.

ALORS, TU Y VAS ?

J'AI PAS DE MAILLOT.

JE T'AI PRÉPARÉ UN VIEUX CALEÇON.

AH, NON ! JE VAIS AVOIR L'AIR RIDICULE !

S'IL TE PLAÎT, PAPA, TU NE VAS PAS FAIRE DES HISTOIRES. NOUS SOMMES ENTRE NOUS.

259/2

BON, C'EST LE MOMENT D'EN PROFITER. QUI COMMENCE?

VAS-Y, TOI, JE PRENDRAI MON BAIN APRÈS. SPLITCH SPLITCH SPLITCH SPLITCH

ALORS?

M'OUAIS, OUAIS...

SPLITCH SPLITCH SPLITCH SPLITCH SPLITCH

EH, MAIS OÙ EST LE GAMIN?

C'EST VRAI, ÇA.... OÙ EST-IL CELUI-LÀ?

CÉDRIC? IL EN A EU ASSEZ D'ATTENDRE. IL A CRU QUE TON PÈRE NE SE DÉCIDERAIT JAMAIS...

...ALORS, IL M'A DEMANDÉ S'IL POUVAIT ALLER CHERCHER QUELQUES COPAINS...

...J'AI ACCEPTÉ BIEN SÛR. LA CANICULE, C'EST POUR TOUT LE MONDE!

259/3

10

DÉSOLÉ!

NOUS AVONS TERMINÉ. À TON TOUR, ROBERT!

TOUT COMPTE FAIT, ESSAYONS DE PRENDRE LE BON CÔTÉ DES CHOSES. AU MOINS, ON PREND L'AIR.

OUI, MAIS TOUT DE MÊME!

259/4

CAUVIN. Laudec '04

Vu à la télé...

IL EST TOUJOURS...

AMOUREUX FOU, OUI!

FAUT ABSOLUMENT QUE JE VOUS RACONTE CE QUE J'AI VU HIER SOIR À LA TÉLÉ...

MANU, TAIS-TOI!

BON! COMME VOUS VOUDREZ... MAIS VOUS NE SAVEZ PAS CE QUE VOUS RATEZ...

MANU, ARRÊTE! TU VOIS BIEN QUE TU L'ÉNERVES.

ÇA VA... RACONTE,

C'ÉTAIT UN MEC AMOUREUX DINGUE D'UNE NANA, MAIS Y SAVAIT PAS COMMENT L'ABORDER. ET PUIS, UN JOUR, IL A EU UNE IDÉE DE GÉNIE...

LAQUELLE?

IL L'A EMMENÉE AU CINÉMA... AU DÉBUT, Y S'EST RIEN PASSÉ. Y RESTAIENT LÀ COMME DEUX BETTERAVES SANS SE PARLER.

...ET PUIS, SOUDAIN, IL A LEVÉ LES BRAS ET IL A DIT: "ON EST BIEN ICI..."

C'EST COMPLÈTEMENT IDIOT...

OUAIS, ÇA VEUT RIEN DIRE...

MINUTE! ENSUITE, IL LES A RABAISSÉS MAIS EN EN LAISSANT UN DER- RIÈRE SON COU...

JE NE COMPRENDS PAS...

MOI NON PLUS...

C'EST VRAI, QUOI! TU NE PEUX PAS ÊTRE UN PEU PLUS CLAIR?

251/1

251/2

CE N'EST PAS PLUS COMPLIQUÉ QUE ÇA?

BEN, NON,

...   .

...   .

PLUS TARD...

PFFF PFF

SLAP SLAP SLAP

CHEN... J'AI... EUH... AHEM... J'AI À TE PARLER...

OUI CÉDRIC?

251/3

ENCORE PLUS TARD...

C'EST GENTIL DE M'AVOIL INVITÉE AU CINÉMA, CÉDRIC...

ET C'EST GENTIL À TOI D'AVOIR ACCEPTÉ, HÉ, HÉ.

Harry Kover
ET LA CHAMBRE FROIDE
ISSE
EN MATINÉE

HI, HI, HI, COMME C'EST AMUSANT. TES AMIS ONT EU LA MÊME IDÉE.

OH, ÇA VA COMMENCER.

RHÂÂÂ, QU'ON SE SENT BIEN, ICI...

SMOUTCH

SPLAF

251/4

251/5

PLUS TARD...
IL A MÊME PAS ESSAYÉ?

NON.

ET IL A EU RAISON. VOUS AVEZ VU MES LUNETTES?

CAPRICE A BAVÉ DESSUS?

ELLE LES A CASSÉES, EH, GROS MALIN.

MAIS ENFIN, EXPLIQUE-NOUS, MANU, POURQUOI, DANS LE FILM, LE MEC IL A RÉUSSI ET QUE NOUS, ÇA A RATÉ.

EU, HO, MINUTE, J'AI PAS DIT QU'IL AVAIT RÉUSSI. LUI AUSSI A RAMASSÉ UNE BAFFE.

HEIN? MAIS POURQUOI T'AS RIEN DIT?

PARCE QUE VOUS NE ME L'AVEZ PAS DEMANDÉ, TIENS!

MAIS... MAIS QU'EST-CE QUE...!?! AH NON! AH NON!

NOOOOON!

PLUS TARD...
MAIS ENFIN, POURQUOI, CÉDRIC? T'AS AUCUNE RAISON DE M'EN VOULOIR: T'AS PAS EU DE BAFFE, TOI.

NON, MAIS ÇA AURAIT PU...

ET À PRÉSENT, TU ME RENDS MES VÊTEMENTS, DIS?

MINUTE!

CHÔMP CHÔMP CHÔMP

CAUVIN - Laudec 03

251/6

17

Le meilleur ami de l'homme

MARIE-ROSE, TU TE SOUVIENS?

CABOT! JE NE L'AI PAS CONNU, MAIS MAMAN M'EN A SOUVENT PARLÉ.

CABOT!? QUI C'ÉTAIT?

NOTRE CHIEN.

WHAÔÔ, T'AS EU UN CHIEN, TOI?

OUI... ON VENAIT À PEINE DE SE MARIER, TA GRAND-MÈRE ET MOI...

À L'ÉPOQUE, QUELQUEFOIS APRÈS LE TRAVAIL, ON ALLAIT BOIRE UN POT AVANT DE RENTRER À LA MAISON.

UN!? QU'EST-CE QU'IL NE FAUT PAS ENTENDRE!

MAMAAN... TAIS-TOI! CONTINUE, PÉPÉ.

BREF, CE SOIR-LÀ, ALLEZ DONC SAVOIR POURQUOI, ON AVAIT BU PLUS QUE DE COUTUME, ET, CHEMIN FAISANT, JE CHERCHAIS UNE BONNE EXCUSE POUR JUSTIFIER MON RETARD...

C'EST ALORS QUE JE L'AI VU...

HIPS!

257/1

IL ÉTAIT LÀ, TREMBLANT DE FROID, DÉTREMPÉ PAR LA PLUIE...

HIPS!

JE ME SOUVIENS ENCORE QU'À PREMIÈRE VUE, IL AVAIT TOUT L'AIR DU FRUIT D'UN CROISEMENT ENTRE UN FOX-TERRIER, UN BICHON MALTAIS AVEC UN ZESTE DE PÉKINOIS, UN SOUPÇON DE TECKEL ET UN RIEN DE CHOW-CHOW.

IL NE SENTAIT PAS BON, ET EN PLUS, IL DEVAIT ÊTRE UN VÉRITABLE RÉSERVOIR À PUCES...

EN TEMPS NORMAL, JE SERAIS PASSÉ À CÔTÉ SANS LUI ACCORDER LA MOINDRE ATTENTION, MAIS IL ÉTAIT TARD ET JE DEVAIS TROUVER UNE BONNE EXCUSE...

...ET CETTE EXCUSE, JE L'AVAIS LÀ, DEVANT MOI...

QUAND JE SUIS ARRIVÉ À LA MAISON, JE N'OUBLIERAI JAMAIS LE REGARD DE TA GRAND-MÈRE.

ELLE L'A PRIS TENDREMENT...

HIPS?

...ET S'EN EST ALLÉE DANS LA REMISE POUR LE LAVER...

257/2

MOI, JE SUIS ALLÉ ME COUCHER SANS DEMANDER MON RESTE... TOUT HEUREUX DE M'EN ÊTRE TIRÉ À SI BON COMPTE.

LE LENDEMAIN, QUAND J'AI VU CE PETIT MACHIN, TOUT BEAU, TOUT PROPRE ARRIVER VERS MOI, ÇA M'A FAIT TOUT DRÔLE...

WIFWIRF WIRF

IL N'AVAIT PLUS RIEN DU MONS- TRE QUE J'AVAIS RAMASSÉ LA VEILLE...

IL M'A D'ABORD FAIT LA FÊTE, COMME POUR ME REMERCIER...

... PUIS EST RETOURNÉ DANS LES BRAS DE TA GRAND-MÈRE.

JE L'AI APPELÉ CABOT.

SALUT, CABOT!

LAP LAP LAPLAP

À DATER DE CE JOUR-LÀ, ILS NE SE QUITTÈRENT PLUS.

JE POUVAIS RENTRER À N'IMPORTE QUELLE HEURE DE LA NUIT, ELLE NE S'EN SOUCIAIT PLUS. JE N'EXISTAIS PLUS. SEUL COMPTAIT CABOT...

... CABOT QUI GRONDAIT SI JE M'APPROCHAIS D'ELLE...

WIRFWIRFWIRF...

...CABOT QUI GRONDAIT QUAND JE VOULAIS ME METTRE AU LIT...

WIRFWIRFWIRFWIRF

257/3

... CABOT QUI GRONDAIT SI JE REN-TRAIS TARD AVEC UN VERRE DANS LE NEZ...

ILS NE SE QUITTAIENT JAMAIS... ET POURTANT,... CE JOUR-LÀ,...

À CETTE ÉPOQUE, IL Y AVAIT TRÈS PEU D'AUTOMOBILES. ON SE RETOURNAIT QUAND ON EN VOYAIT PASSER UNE...

CE SOIR-LÀ, QUAND JE SUIS RENTRÉ, ELLE ÉTAIT LÀ, ASSISE. ELLE TENAIT CABOT DANS LES BRAS. CABOT NE BOUGEAIT PLUS, IL NE GRONDAIT PLUS...

ELLE RESTAIT LÀ, SANS RIEN DIRE, DANS LES YEUX UNE INDICIBLE TRISTESSE. ELLE NE PLEURAIT PAS...

ELLE N'A PAS PLEURÉ NON PLUS QUAND J'AI RETIRÉ DOUCEMENT CABOT DE SES MAINS ET QUE J'AI COUCHÉ SON PETIT CORPS DANS UNE BOÎTE QUE JE LUI AVAIS EXPRESSÉMENT FABRIQUÉE...

ELLE N'A PAS PLEURÉ NON PLUS QUAND JE SUIS ALLÉ ENFOUIR LA BOÎTE AU FOND DU JARDIN, JUSTE AU-DESSOUS D'UN ROSIER...

POURQUOI T'AS PAS ÉTÉ LUI EN CHERCHER UN AUTRE ?

OH, MAIS J'Y AI BIEN PENSÉ, MAIS ON N'EFFACE PAS COMME ÇA LA PERTE D'UN PETIT ÊTRE CHER EN LE REMPLAÇANT DIRECTEMENT PAR UN AUTRE.

257/4

NON, IL FAUT DU TEMPS POUR ÇA. BEAUCOUP DE TEMPS. JE L'AI TOUT DE SUITE COMPRIS, ET, DU JOUR AU LENDEMAIN, JE ME SUIS RACHETÉ UNE CONDUITE...

...ET PENDANT DES JOURS ET DES JOURS, J'AI TOUT FAIT POUR QU'ELLE OUBLIE. DES PETITES ATTENTIONS AUXQUELLES JE N'AURAIS MÊME JAMAIS PENSÉ UN SEUL INSTANT AVANT.

ÇA A MARCHÉ?

OUI.

QUELQUE TEMPS APRÈS, LA NAISSANCE D'UN BÉBÉ EST VENUE BOULEVERSER SA VIE... ET LA MIENNE. TA MÈRE.

ELLE A REMPLACÉ CABOT?

EUH... OUAIS... SI L'ON VEUT.

ET APRÈS?

QUAND LE GRAND MALHEUR EST ARRIVÉ, QUAND LE BON DIEU, SANS DEMANDER MON AVIS, L'A RAPPELÉE PRÈS DE LUI...

TU VEUX DIRE, QUAND ELLE EST MORTE?

C'EST ÇA...

PARCE QU'ELLE AVAIT UN CAILLOU DANS SA CHAUSSURE... (*)

C'EST ÇA...

APRÈS LA CÉRÉMONIE, SANS RIEN DIRE À PERSONNE, JE SUIS ALLÉ TROUVER LE FOSSOYEUR. UN BIEN BRAVE HOMME. IL A TOUT DE SUITE COMPRIS...

...JE SUIS RETOURNÉ AU FOND DU JARDIN, JUSTE AU-DESSOUS DU ROSIER, ET,...

PAPA! TU...TU N'AS PAS FAIT ÇA?

MAIS SI.

(*) VOIR ALBUM 5

257/5

TU ...TU AS ÉTÉ RAPPORTER CABOT À MÉMÉ ?

OUI. À PRÉSENT, ILS SONT DE NOUVEAU ENSEMBLE ET POUR L'ÉTERNITÉ.

BON, EXCUSEZ-MOI, MAIS À PRÉSENT IL FAUT QUE JE M'EN AILLE.

EH ? OÙ IL VA ?

LÀ OÙ IL PRÉFÈRE ÊTRE SEUL, CÉDRIC.

WIRF WIRF WIRF

JACK, C'EST FINI, OUI ?

GRRR WIRF !

QU'EST-CE QU'IL A PÉPÉ ?

PAPA ? JE NE SAIS PAS. IL EST COMME ÇA DEPUIS QU'IL EST REVENU DU CIMETIÈRE.

IL A PEUT-ÊTRE VU OU ENTENDU UN FANTÔME ?

LES FANTÔMES NE PARLENT PAS.

QU'EST-CE QUE TU EN SAIS, GAMIN ?

257/6

CAUVIN - Laudec '03.

23

Vrai ou faux ?

À L'ÉCOLE, MADEMOISELLE NELLY NOUS A DIT QU'IL Y AVAIT DES GENS QUI AR-RIVAIENT À FAIRE DES FAUX BILLETS DE DIX EUROS.

C'EST VRAI. ON LES APPELLE DES FAUX-MONNAYEURS.

COMMENT ARRIVE-T-ON À VOIR S'ILS SONT FAUX ?

IL Y A UNE SOLUTION, PÉPÉ...

DONNE !

ET À PRÉSENT ?

TU ATTENDS.

PEU APRÈS...

BLAM

PAS DE PROBLÈME, PÉPÉ. C'ÉTAIT UN BON !

COMMENT EN ES-TU SI SÛR ?

JE SUIS ALLÉ M'ACHETER UNE GLACE. S'IL AVAIT ÉTÉ FAUX, JAMAIS LE GLACIER NE M'AURAIT RENDU LA MONNAIE.

256

ON S'EST ENCORE LAISSÉ AVOIR ?

ÇA VA ! ÇA VA !

KLIK

CAUVIN - Laudec '03

Grosse déprime...

JE NE SAIS PAS CE QUE PAPA A ENCORE CES DERNIERS TEMPS MAIS IL ME SEMBLE CONTINUELLEMENT AMORPHE. COMME S'IL N'AVAIT PLUS GOÛT À LA VIE.

TU LE CONNAIS, IL FAIT TOUJOURS ÇA POUR QU'ON S'INTÉRESSE À LUI.

N'EMPÊCHE, J'AI DEMANDÉ À CÉDRIC DE LUI REMONTER LE MORAL.

OÙ SONT ENCORE PARTIS TES PARENTS, GAMIN?

FAIRE DES COURSES.

ÇA VA PAS, PÉPÉ?

T'ES BIEN LE SEUL QUI L'AIT REMARQUÉ.

QU'EST-CE QUI VA PAS?

JE SUIS FINI... AU BOUT DU ROULEAU.

VOIS-TU, J'AI FAIT MON TEMPS SUR TERRE. IL EST TEMPS DE M'EN ALLER, DE LAISSER LA PLACE AUX AUTRES.

T'EN ALLER OÙ?

REJOINDRE TA GRAND-MÈRE, GAMIN. DEPUIS QU'ELLE ATTEND, LA PAUVRE.

ET CABOT...

SLÛRP

AH OUAIS, LE CHIEN! JE L'AVAIS OUBLIÉ, CELUI-LÀ. J'ESPÈRE QUE CETTE FOIS, IL NE ME FERA PAS D'HISTOIRES QUAND ON DÉPOSERA MON VIEUX CORPS DANS LE CAVEAU.

SLÚÚRP

ET LES AUTRES?

HEIN? QUOI, LES AUTRES?

TU AS DIT QUE TU ALLAIS LAISSER LA PLACE AUX AUTRES.

BEN,... À TOI, À TES PARENTS. PLACE AUX JEUNES.

SLÚÚÚRP

FAUT QUE JE TE DISE,... IL Y A QUAND MÊME QUELQUE CHOSE QUI ME TRACASSE...

QUOI?

ÇA FAIT UN SACRÉ BOUT DE TEMPS QUE JE NE CONNAIS PLUS GRAND MONDE, ET CEUX QUI ME CÔTOIENT ENCORE ME DONNENT L'IMPRESSION D'ÊTRE INDIFFÉRENTS À CE QUI POURRAIT M'ARRIVER.

GAMIN, IL FAUT QUE TU ME PROMETTES QUE TOI AU MOINS, TU ASSISTERAS À MON ENTERREMENT.

TU COMPRENDS, CE SERAIT MOCHE D'ÊTRE TOUT SEUL CE JOUR-LÀ,...

PROMIS!

DONC, TU NE SERAS PLUS LÀ?

EEEH, NON!

264/2

Mise au parfum

WHAÔÔW...

QU'EST-CE QUI SENT BON COMME ÇA ?

BEN ....

CHARNEL 8, JE CONNAIS, C'EST LE PARFUM PRÉFÉRÉ DE MA MÈRE.

LA MIENNE AUSSI.

LA MIENNE, C'EST DJÖ DE ARAMI IL N'EST PAS MAL NON PLUS !

QU'EST-CE QUE JE T'AVAIS DIT ?

JE PEUX ?

OUAIS, MAIS PAS BEAUCOUP, HEIN ? C'EST PAS 'À MOI, C'EST À MA SOEUR.

UNE GOUTTE SEULEMENT.

ET MOI AUSSI.

ET MOI !

MMM....J'ADORE !

MOI AUSSI !

MELCI CHLISTIAN !

DONNE !

HEIN ?

DONNE, JE TE DIS !

261/2

CÉDRIC DEHORS!

BÉÉÉRK BÉÉÉRK BÉÉÉRK, QU'EST-CE QU'IL A ENCORE FAIT?

JUSTEMENT JE VOUDRAIS' BIEN LE SAVOIR...

SI TU ALLAIS LUI DE-MANDER, TOI?

J'Y VAIS.

EH, GAMIN , JE PEUX SAVOIR ...?

NE ME DIS PAS QUE TU REFUSES DE PARTAGER UN SECRET AVEC UN PAUVRE VIEUX QUI A DÉJÀ UN ORTEIL DANS LA TOMBE.

NAN!

SI!

PEU APRÈS...

ALORS?

HOHOHIHIHI SURDOSE DE CHARNEL 8! HIHIHI

HIHI HOHO!

CÉDRIC, DÉBARRASSE-TOI DE TES VÊTEMENTS DANS LA BUANDERIE ET DIRECTION LA SALLE DE BAINS!

TOUS MES VÊTEMENTS?

TOUS!

T'ES PAS SÉRIEUSE?

SI!

RAPPORTEUR!

FALLAIT BIEN FAIRE QUELQUE CHOSE, GAMIN. TU NE POUVAIS PAS RESTER LÀ À SENTIR LA COCOTTE À PLEIN NEZ.

261/4

31

...ET PUIS D'ABORD, QU'EST-CE QUI T'EST PASSÉ PAR LA TÊTE? LES PARFUMS, C'EST POUR LES FILLES...

FLOUTCH FLOUTCH FLOUTCH

...BON, ET À SUPPOSER QUE TU AIMES ÇA, IL Y A UNE FAÇON DE S'EN SERVIR. VOYONS VOIR DE QUEL PARFUM SE SERT TA MÈRE...

PÉPLUM DE YVES ST-TORRENT.

C'EST PAS PAREIL!

TOUS LES PARFUMS SE RESSEMBLENT ET C'EST DU SUPER CONCENTRÉ AUSSI.

ET À PRÉSENT, REGARDE! TU EN METS JUSTE UNE PETITE GOUTTE SUR LE BOUT DU DOIGT...

...ET HOP, TU LE FROTTES DERRIÈRE TON OREILLE... ENSUITE, TU...

CRÉDIDJU!

C'EST BÊTE... LE FLACON... IL M'A ÉCHAPPÉ DES MAINS.

HÉ HÉ

TOUT DE MÊME, MARIE-ROSE, PORTES ET FENÊTRES OUVERTES, PAR LES TEMPS QUI COURENT, C'EST PAS SÉRIEUX.

NE T'EN FAIS PAS, PAPA. ROBERT N'A PAS VOULU ENTRER. IL A PRÉFÉRÉ RESTER DEHORS. IL SURVEILLE.

POURQUOI PÉPÉ, IL N'A PAS DÛ SE DÉSHABILLER DANS LA BUANDERIE, HEIN? POURQUOI?

MAIS QU'EST-CE QUE J'AI FAIT AU BON DIEU!?...

HÉ! T'AS LU LE DERNIER Marsupilami

261/5

Gelée de groseille

Artiste en herbe

BONJOUR, TOUT LE MONDE!

'JOUR, CHÉRI.

MMM

CÉDRIC N'EST PAS LÀ?

MADEMOISELLE NELLY A DEMANDÉ À SES ÉLÈVES D'EXÉCUTER UN DESSIN OU UNE PEINTURE. LE SUJET EST À LEUR LIBRE CHOIX ET...

...TOUTES LES OEUVRES SERONT EXPOSÉES SAMEDI À L'ÉCOLE.

IL EST PARTI CE MIDI AVEC QUELQUES FEUILLES DE PAPIER ET SON PLUMIER PUISER SON INSPIRATION QUELQUE PART DANS LA NATURE.

ZZZ ROFLZZ

JE TROUVE L'IDÉE SYMPA.

LE VOILÀ QUI REVIENT.

QUOI, DÉJÀ?

ALORS?

RIEN.

COMMENT ÇA, RIEN? TU N'AS RIEN TROUVÉ À DESSINER?

BEN SI, MAIS J'AI PAS PU.

SPLAF

JE SUIS D'ABORD ALLÉ PRÈS DE L'ÉTANG.

JE VOULAIS DESSINER L'EAU ET LES ROSEAUX...

...ET PUIS SOUDAIN...

262/1

J'AI VOULU DESSINER L'UN DES ARBRES DU PARC...

...MAIS...

SPLOTCH

J'AI VOULU DESSINER DES CHAMPS DE COQUELICOTS...

...QUAND SOUDAIN...

IL A RAISON, IL COMMENCE À TOMBER DES CORDES.

COMME C'EST DOMMAGE, TU N'AURAS RIEN À EXPOSER SAMEDI À L'ÉCOLE.

BEN...

IL N'EST PAS TOUJOURS NÉCESSAIRE D'ALLER DEHORS CHERCHER L'INSPIRATION. BEAUCOUP DE PEINTRES RESTAIENT CHEZ EUX À PEINDRE DES PORTRAITS.

'SAIS PAS BIEN FAIRE LES PORTRAITS.

262/2

ALORS, ESSAIE-TOI AUX NATURES MORTES.

C'EST QUOI, UNE NATURE MORTE ?

DES TABLEAUX REPRÉSENTANT DES OBJETS OU DES ÊTRES INANIMÉS.

DES MACHINS QUI BOUGENT PAS ?

C'EST ÇA, C'EST EXACTEMENT ÇA.

EEEH MAIS...!

RRZZZZZ

LAISSE-LE FAIRE. QUI SAIT ? CE SERA PEUT-ÊTRE UNE OEUVRE D'ART.

PRRR...

ÇA Y EST J'AI FINIII !

LES AMÉRICAINS ONT RÉUSSI À CLONER UNE POUPÉE BARBIE ILS NOUS ÉTONNERONT TOUJOURS.

IL LE ROBOT BUSH INVITE D'HONNEUR AU PROCHAIN FEST. FINAL D'ANGOULÊME

ON PEUT VOIR ?

26213

MERCI À ANAÏS BINOT ET ELISA BRUNETTA.

CAUVIN-Laudec '04

L'homme invisible

BONJOUR, POURRAIS-JE VOUS ENTRETENIR QUELQUES INSTANTS? C'EST AU SUJET DE CÉDRIC.

BIEN SÛR, ENTREZ! JE VOUS EN PRIE.

PEU APRÈS,...

NOUS VOUS ÉCOUTONS.

EH BIEN VOILÀ,...

HIER APRÈS-MIDI, J'AVAIS DÉCIDÉ D'ORGANISER UNE PETITE FÊTE AVEC TOUS MES ÉLÈVES DANS LA COUR DE L'ÉCOLE...

POUR CRÉER UNE AMBIANCE J'AVAIS DEMANDÉ À CHACUN D'ENTRE EUX DE VENIR AVEC UN DÉGUISEMENT...

SLURP!

J'AVAIS MÊME PROPOSÉ QU'À LA FIN DE CETTE RENCONTRE, TOUTE LA CLASSE VOTERAIT POUR LE PLUS BEAU, LE PLUS SURPRENANT, AUSSI...

258/2

TOUT LE MONDE ÉTAIT LÀ, TOUT LE MONDE, SAUF...

CÉDRIC?! MAIS C'EST IMPOSSIBLE! ICI, TOUT LE MONDE L'A VU QUITTER LA MAISON.

ATTENDEZ.

CÉDRIC AVAIT AVERTI QU'IL VIENDRAIT DÉGUISÉ EN HOMME INVISIBLE, L'IMAGINATION DES ENFANTS N'A PAS DE LIMITES. TOUT LE MONDE L'A CRU...

JE NE VOUS DIS PAS L'ÉTRANGE ATMOSPHÈRE QUI RÉGNAIT DANS LA COUR...

IL EST LÀ!

CHACUN CROYAIT L'AVOIR FRÔLÉ, SENTI, TOUCHÉ MÊME...

JE L'AI! JE L'AI!

JE NE VOUS CACHERAI PAS QUE L'ESPACE D'UN COURT INSTANT, JE ME SUIS SENTIE MAL À L'AISE.

CL481KF

QUAND LE MOMENT EST ARRIVÉ D'ATTRIBUER LE PRIX, TOUS ONT DÉSIGNÉ CÉDRIC À L'UNANIMITÉ...

... DÉSIGNÉ... ENFIN, SI L'ON PEUT DIRE...

258/3

40

VOUS ESSAYEZ DE NOUS DIRE QUE CÉDRIC A OBTENU LE PREMIER PRIX ALORS QU'IL N'ÉTAIT PAS PRÉSENT À LA FÊTE ?!...

MAIS ALORS OÙ ÉTAIT-IL ?

ÇA, NOUS ALLONS LE SAVOIR DE SUITE !

CÉDRIC, ICI !

BONJOUR, MADEMOISELLE NELLY.

BONJOUR, CÉDRIC, J'AURAIS QUELQUES QUESTIONS À TE POSER.

VOTRE GENOU VA MIEUX ?

HEU... ANTHONY AVAIT JETÉ SA PELURE DE BANANE PAR TERRE. J'AI MALHEUREUSEMENT GLISSÉ DESSUS ET JE ME SUIS LÉGÈREMENT ÉCORCHÉ LE GENOU.

ET VALÉRIE, ELLE EST TOUJOURS FÂCHÉE ?

258/4

MICHAËL LUI AVAIT MALEN-CONTREUSEMENT RENVERSÉ SON VERRE DE GRENADINE SUR SA ROBE. C'EST VRAI QU'ELLE N'ÉTAIT PAS CONTENTE.

MAIS CÉDRIC... COMMENT?..

ET NICOLAS D'AULNAY, IL EST REMIS DE SA BAFFE?

NICOLAS?... AH, OUI...

HIHIHI, IL TROUVAIT CHEN TELLEMENT JOLIE, DÉGUISÉE EN CLÉOPÂTRE...

...QU'IL N'A PAS PU S'EMPÊCHER DE LUI FAIRE UN PETIT BISOU DANS LE COU...

SMOUTCH

... MAIS CLÉOPÂTRE N'A PAS APPRÉCIÉ...

BLAF

MAIS ENFIN CÉDRIC, COMMENT SAIS-TU TOUT CELA, SI TU N'Y ÉTAIS PAS?

JE SAIS, C'EST TOUT!

AVOUEZ QU'IL Y A QUAND MÊME QUELQUE CHOSE QUI NOUS ÉCHAPPE...

JE SUIS ENTIÈREMENT D'ACCORD AVEC VOUS.

MOI AUSSI, MAIS QUOI?

PLUS TARD...

JE PEUX ENTRER?

MAIS OUI, PÉPÉ!

ÉCOUTE-MOI BIEN, GAMIN. ON N'AP-PREND PAS À UN VIEUX SINGE À FAIRE DES GRIMACES. TON HISTOIRE D'HOMME INVISIBLE, C'EST DU PIPEAU; ALORS DIS-MOI OÙ TU ÉTAIS HIER APRÈS-MIDI.

JE ME SUIS BALADÉ DANS LE PARC.

258/5

42

MAIS SACRÉNOMDIDJÔ! EXPLIQUE-MOI ALORS COMMENT TU ES AU COURANT DE TOUT CE QUI S'EST PASSÉ.

CE MATIN, J'ÉTAIS AVEC CHRISTIAN.

T'ÉTAIS DRÔLEMENT BIEN DÉGUISÉ HIER. ON T'A PAS PAS VU DU TOUT.

JE SAIS...

HI HI HI, T'AS VU QUAND MADEMOISELLE NELLY A GLISSÉ SUR LA PEAU DE BANANE?

OUI.

HEUREUSEMENT, ELLE S'EST JUSTE BLESSÉE UN PEU AU GENOU.

OUI, HEUREUSEMENT.

ET QUAND MICHAËL A RENVERSÉ SA GRENADINE SUR LA ROBE DE VALÉRIE? QU'EST-CE QU'ELLE A RÂLÉ!

OUAIS, PAS CONTENTE QU'ELLE ÉTAIT!

T'AS VU AUSSI QUAND NICOLAS A REFILÉ UN BÉCOT DANS LE COU DE CHEN?...

PAS CONTENTE QU'ELLE ÉTAIT! QU'EST-CE QU'ELLE LUI A COLLÉ COMME BAFFE!

ELLE A BIEN FAIT!

C'ÉTAIT DONC ÇA.

C'ÉTAIT ÇA!

EH, PÉPÉ, TU DIS RIEN À PERSONNE, HEIN?

PAROLE DE SCOUT! CROIX DE BOIS, CROIX DE FER, SI JE MEURS, JE VAIS EN ENFER!

PAPA?! TU N'ES PAS ENCORE COUCHÉ!

J'Y VAIS! J'Y VAIS!

SLASH SLASH

AU RISQUE DE ME RÉPÉTER, IL Y A QUAND MÊME QUELQUE CHOSE QUI M'ÉCHAPPE.

MOI AUSSI, ROBERT, MAIS QUOI?

IL IRA LOIN, CE PETIT... HÉHÉHÉ... OUAIS, IL IRA LOIN...

ZZZZ

25816

CAUVIN - Laudec '04

L'important, c'est la rose !

CÉDRIC !
CÉDRIC !!
CÉDLIC !!

DEMAIN, C'EST L'ANNIVERSAIRE DE MADEMOISELLE NELLY...

...ET NOUS AVONS PENSÉ QU'AU MATIN EN ARRIVANT À L'ÉCOLE...

CE SERAIT CHOUETTE SI CHACUNE D'ENTRE NOUS LUI OFFRAIT UNE JOLIE ROSE...

...AVEC UNE ÉTIQUETTE POUR ÉCRIRE SON NOM DESSUS !

UNE...UNE ÉTIQUETTE ?

BEN OUI, POUR QU'ELLE SACHE QUI LUI A OFFERT.

QU'EST-CE QUE TU EN PENSES, CÉDLIC ?

C'EST UNE BONNE IDÉE... BRAVO, LES FILLES.

ON A PENSÉ QUE CE SERAIT CHOUETTE SI LES GARÇONS S'Y METTAIENT AUSSI.

OUI, CE SELAIT UN PLUS GLOS BOUQUET.

QU'EST-CE QUE TU EN PENSES, CÉDLIC ?

EUH,... AH OUI... HÉ HÉ HÉ C'EST... C'EST UNE TRÈS BONNE IDÉE...

ON COMPTE SUR TOI POUR LEUR EN PARLER.

UNE ROSE, ÇA COÛTE COMBIEN ?

POUL EN AVOIL UNE JOLIE, IL FAUT AU MOINS COMPTER UN EULO !

UN...UN EURO !?

265/1

PEU APRÈS...

UN EURO? ÇA VA PAS, LA TÊTE?

MOI, J'AI PLUS UN ROND.

MOI NON PLUS.

ÇA PEUT PAS ATTENDRE DÉBUT DE SEMAINE PROCHAINE? C'EST TOUJOURS À CE MOMENT-LÀ QUE JE REÇOIS MON ARGENT DE POCHE, ET...

L'ANNIVERSAIRE C'EST DEMAIN, PATATE!

AH!

HÉ!

EN FAISANT LE FOND DE NOS POCHES, ON POURRAIT PEUT-ÊTRE TROUVER DE QUOI LUI EN OFFRIR UNE...

UNE ROSE AVEC DIX ÉTIQUETTES! ON AURA L'AIR DE QUOI?

HÉ, REGARDEZ QUI VOILÀ!

EH, NICOLAS, AMÈNE-TOI, ON A UN PROBLÈME.

PLUS TARD...

MMM... OUAIS! JE NE VOIS QU'UNE SOLUTION.

LAQUELLE? LAQUELLE? LAQUELLE??

JE LES ACHÈTE TOUTES. VOUS N'AUREZ QU'À METTRE LES ÉTIQUETTES.

TU... TU FERAIS ÇA?

PUISQUE JE VOUS LE DIS...

265/2

ET LE LENDEMAIN...

SNIF!

265/3

CAUVIN - Laudec '04.

TOUTE LA FAMILLE SE RETROUVE CHAQUE SEMAINE DANS LE JOURNAL SPIROU ET SUR SPIROU.COM